P9-EMJ-583

图书在版编目（CIP）数据

史麦福和鸡蛋 /（英）伍德（Wood, A. J.）编文；（英）兰姆巴特（Lambert, J.）绘；王千郡译 . — 北京：
中国电力出版社，2011.11
书名原文：Snuffle and the Egg
ISBN 978-7-5123-2328-5

Ⅰ . ①史… Ⅱ . ①伍… ②兰… ③王… Ⅲ . ①儿童文学－图画故事－英国－现代 Ⅳ . ① I561.85

中国版本图书馆 CIP 数据核字（2011）第 230062 号

本书简体中文版权通过凯琳国际文化版权代理引进。
本书仅限在中国（除中国香港特别行政区、中国澳门特别行政区及中国台湾省）出版。

版权登记号　北京版权局图字：01-2011-6758

中国电力出版社出版、发行
电话：010-58383291
传真：010-58383291
（北京三里河路 6 号 100044 ）
印刷：北京盛通印刷股份有限公司
各地新华书店销售

文　　字：[英]A. J. 伍德
绘　　图：[英]乔纳森·兰姆巴特
策　　划：周　霖
美术编辑：北京鱼翔广告设计有限公司
责任印制：邹树群

2012 年 1 月第一版　　2012 年 1 月北京第一次印刷
889 毫米 ×1194 毫米　16 开本　2 印张　50 千字
印数 0001-8000 册　定价：29.00 元

敬告读者
本书封面贴有防伪标签，加热后中心图案消失
本书如有印装质量问题，我社发行部负责退换
版权专有　翻印必究

史麦福
和鸡蛋

[英] A.J.伍德 文　　[英] 乔纳森·兰姆巴特 图　　王千郡 译

中国电力出版社
CHINA ELECTRIC POWER PRESS

你好，史麦福。
史麦福正想找人玩呢。

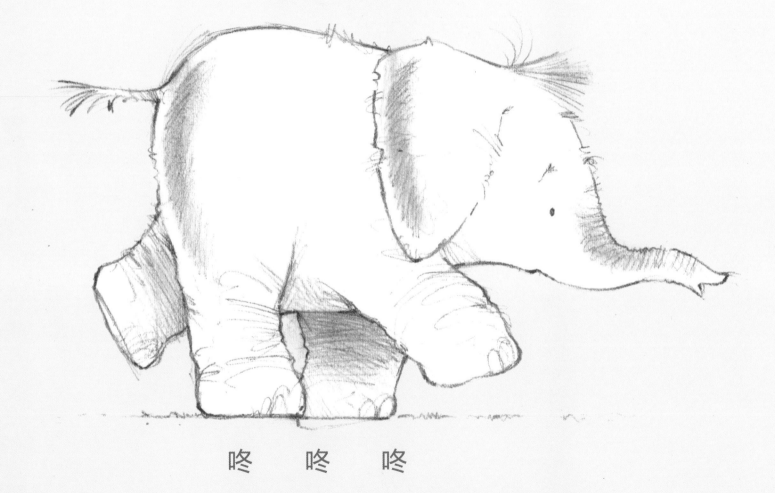

咚　咚　咚

他一路走一路嗅，
发现地上躺着个东西。

黄黄的，滑滑的，它还能转圈！
它是什么呢？

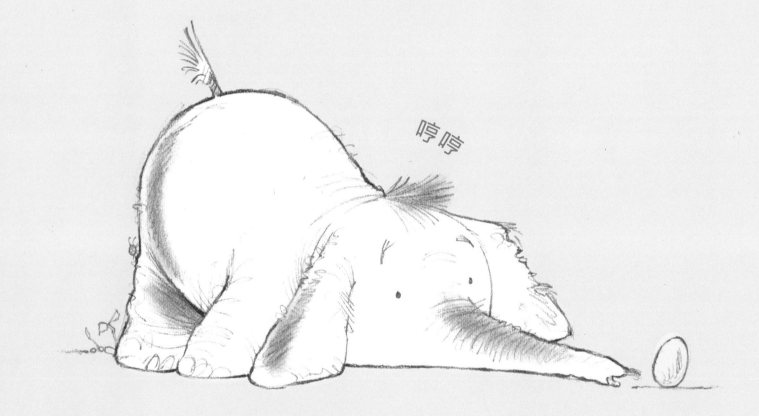

是个鸡蛋。也许他能和它玩耍？

然后，史麦福想起鸡蛋很容易磕破。

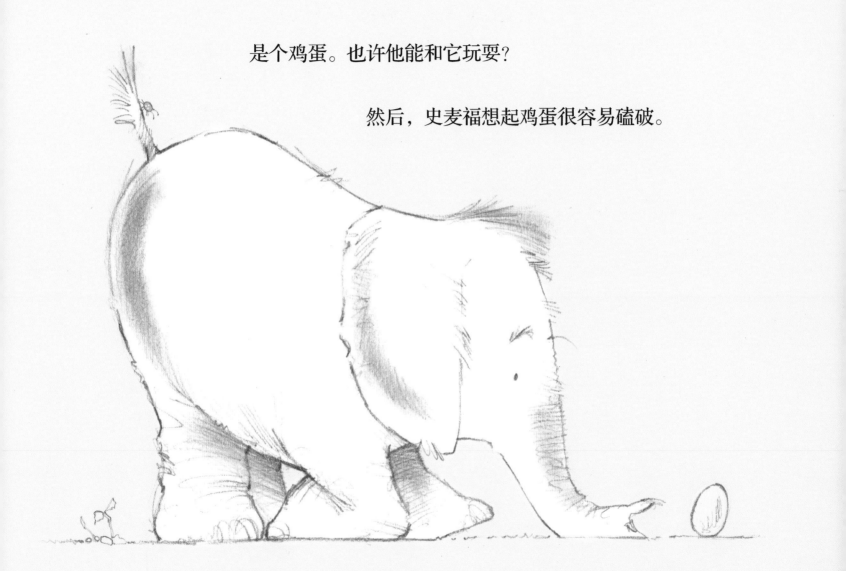

史麦福非常小心地举起鸡蛋。

嗯！

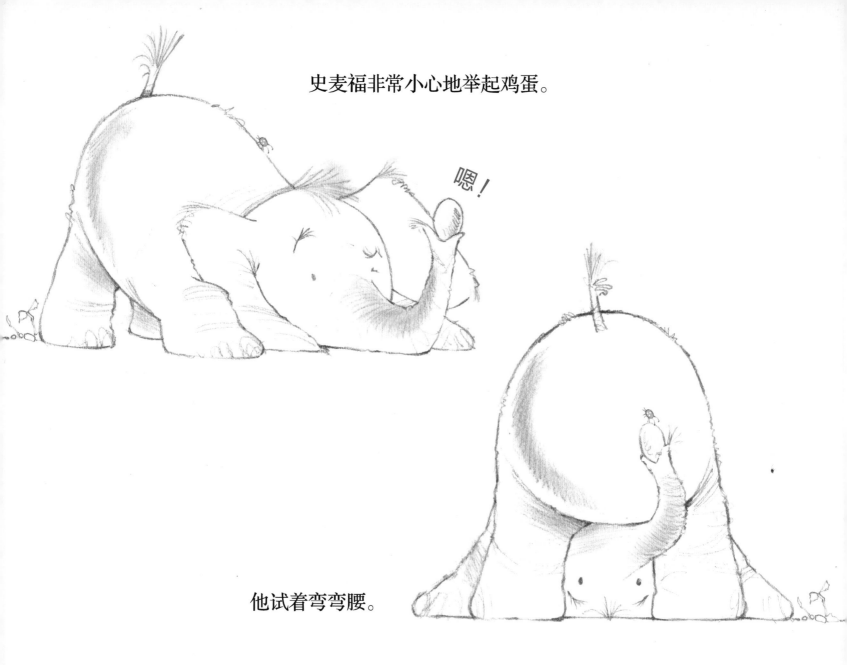

他试着弯弯腰。

他把鸡蛋放在鼻尖上玩耍……

噢！

他轻轻地将鸡蛋吹向空中。

鸡蛋停在鼻尖上，
这边跑……

那边跑！

鸡蛋竟没破。

但是－哎呦！

史麦福被绊倒了！

哎呀！

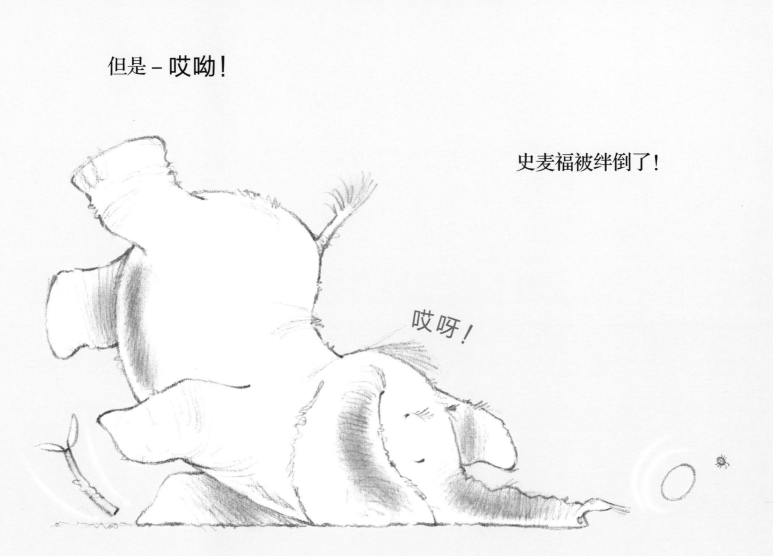

鸡蛋磕破了！

噢，我的天！

史麦福跑远了。

劈　啪

鸡蛋**破了**！

这时，史麦福听到一个奇怪的声响。

这是什么声音？

史麦福观看着……

劈啪！劈啪！

一个小脑袋探出来！

是只小鸟呀！

哎呀！

小鸟飞到空中。

噢！

史麦福惊呆了！

小鸟绕着史麦福飞。
史麦福喜欢上小鸟了。

小鸟和史麦福玩耍。

史麦福追逐小鸟。

小鸟飞走了……
史麦福很伤心。

哦！

但是小鸟又飞回来了……
史麦福又高兴了！

啊！

小鸟还带来朋友……

很多很多的朋友！

史麦福**非常**高兴，
因为他从未有过那么多的朋友……
你有吗？

完